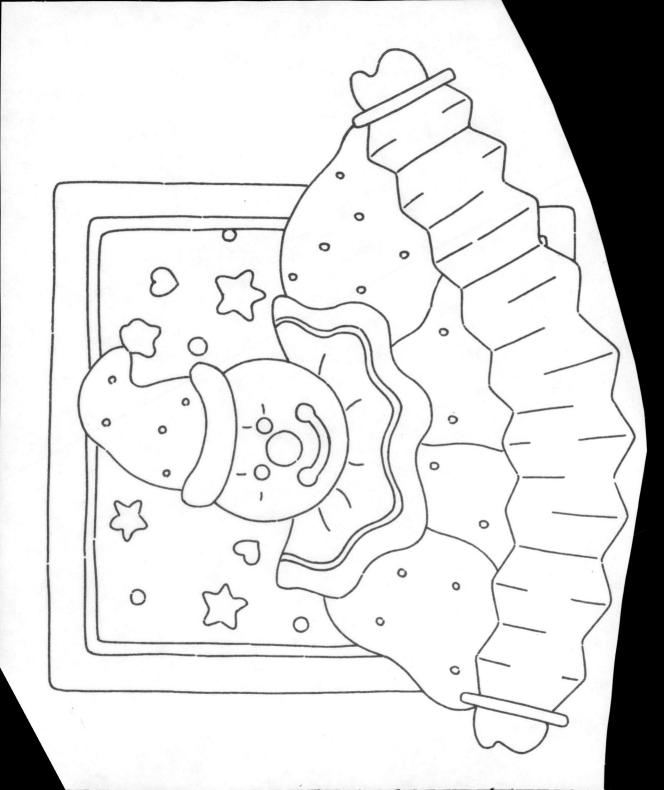

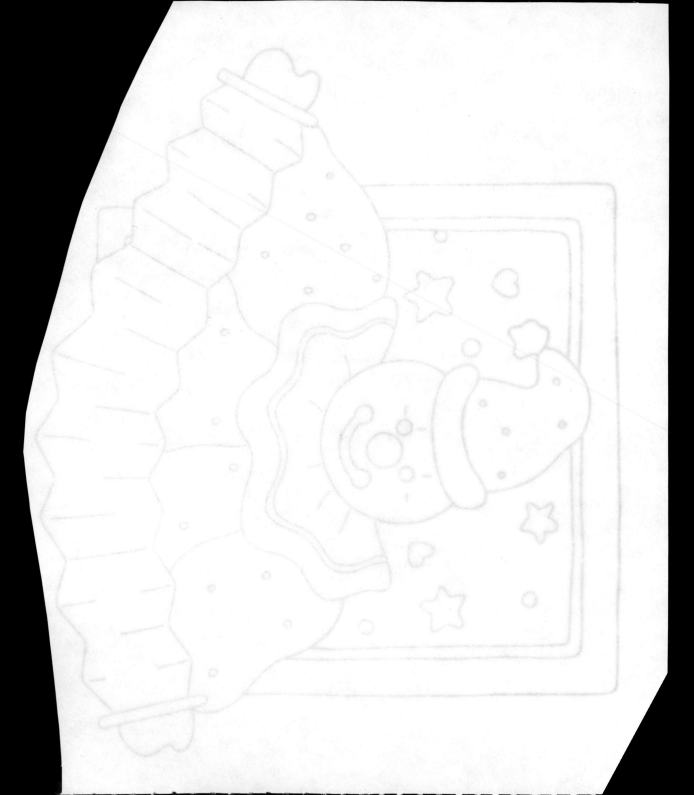

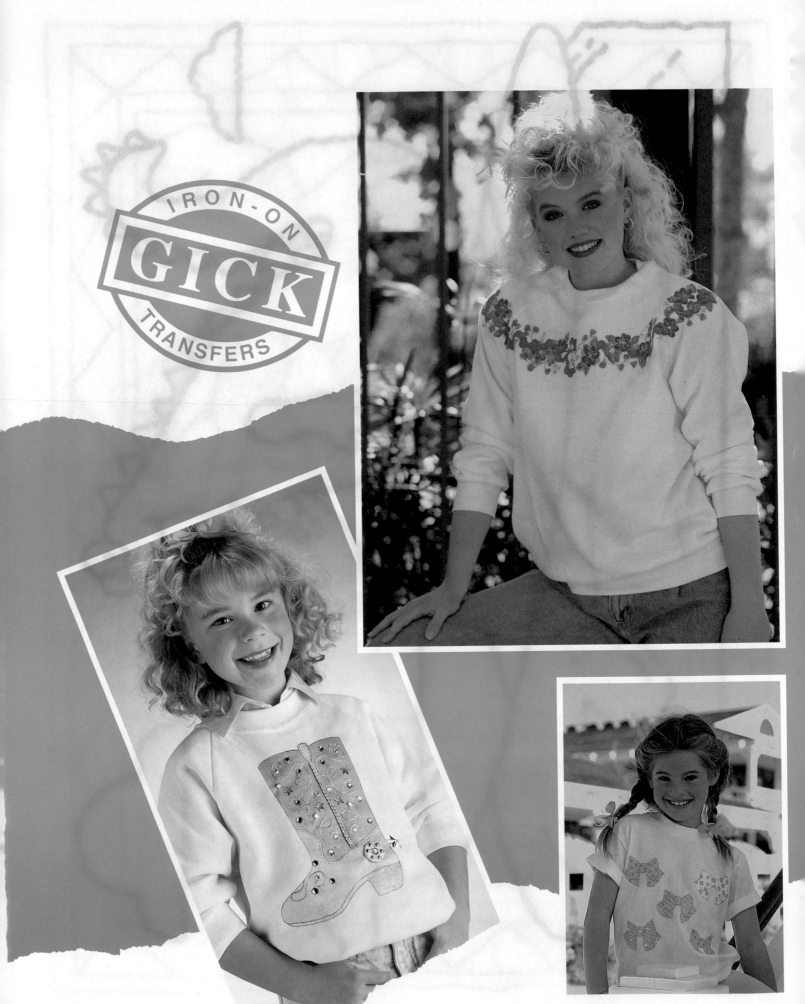

IRON-ON
GICK
TRANSFERS

BUST IT BECAUSE ME

DON'T. DON'T DO IT.

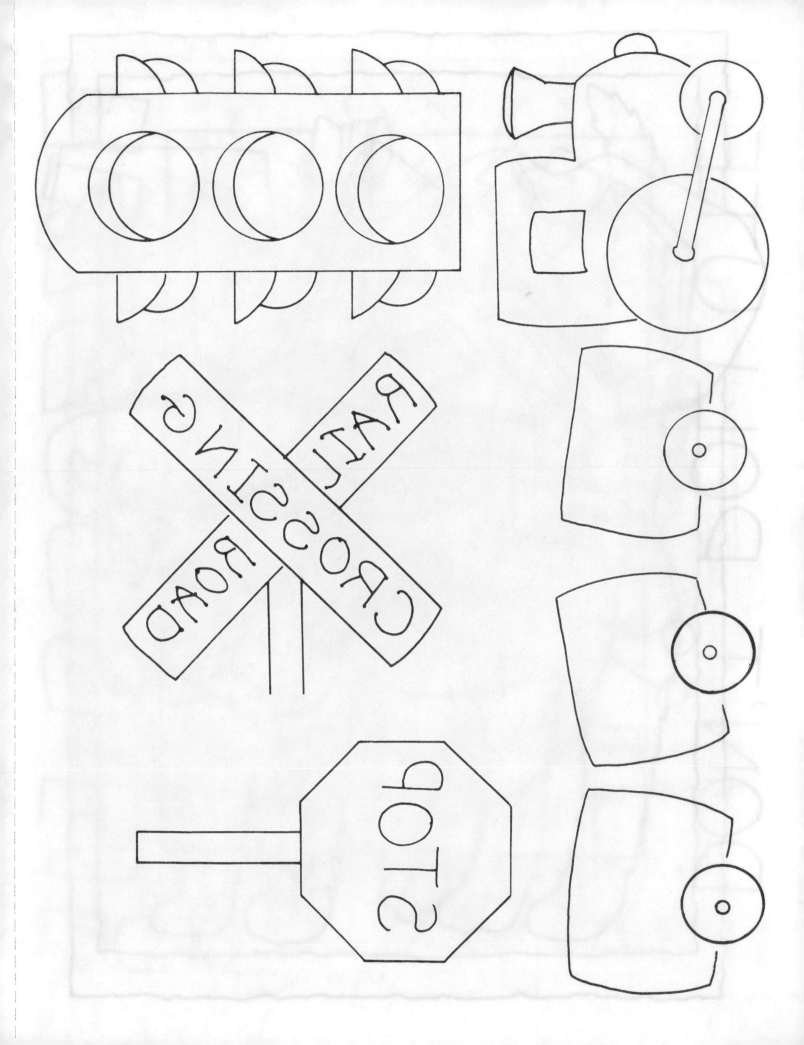

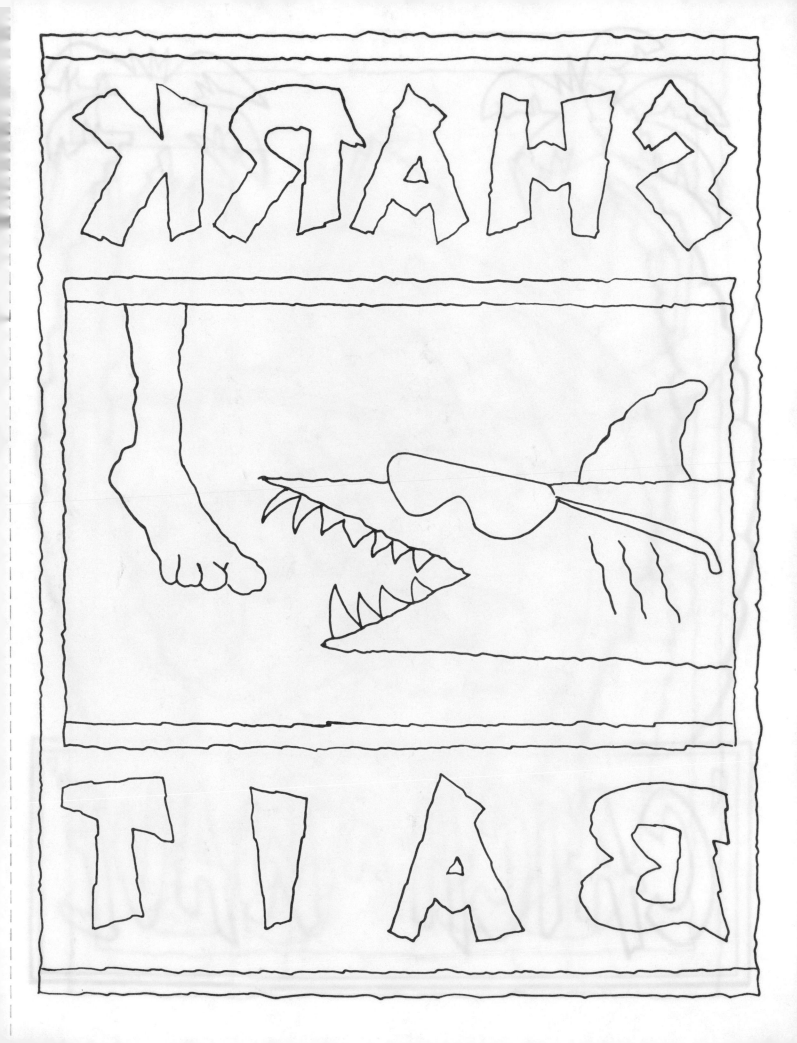

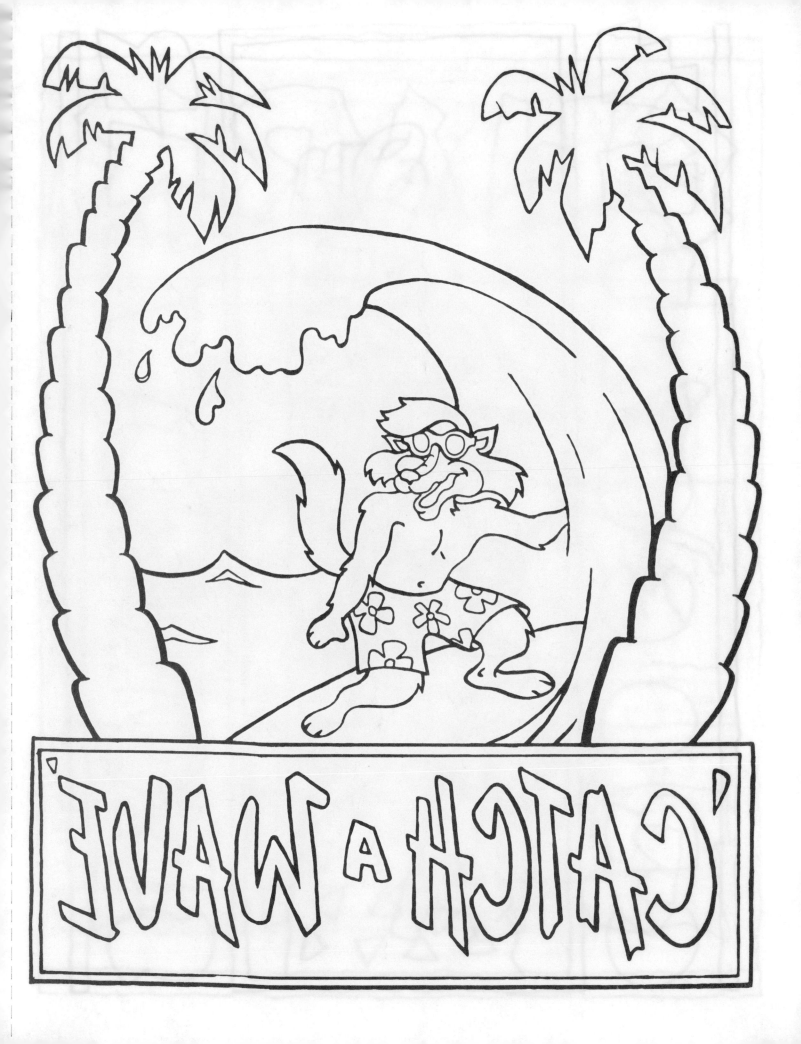

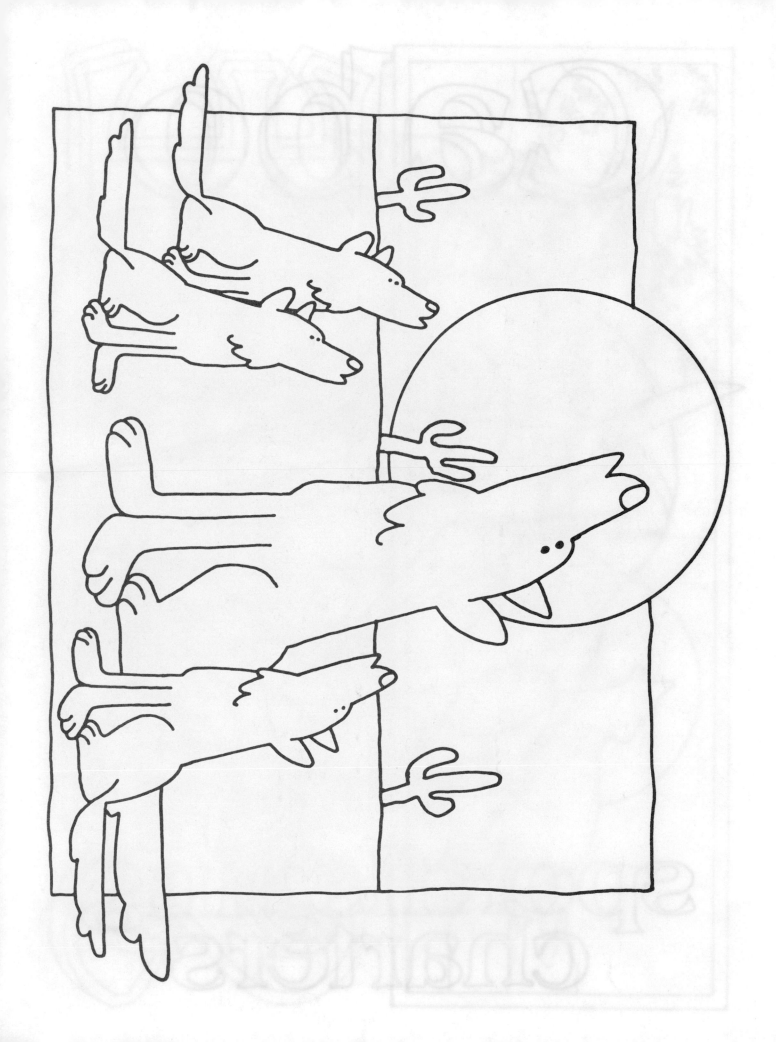

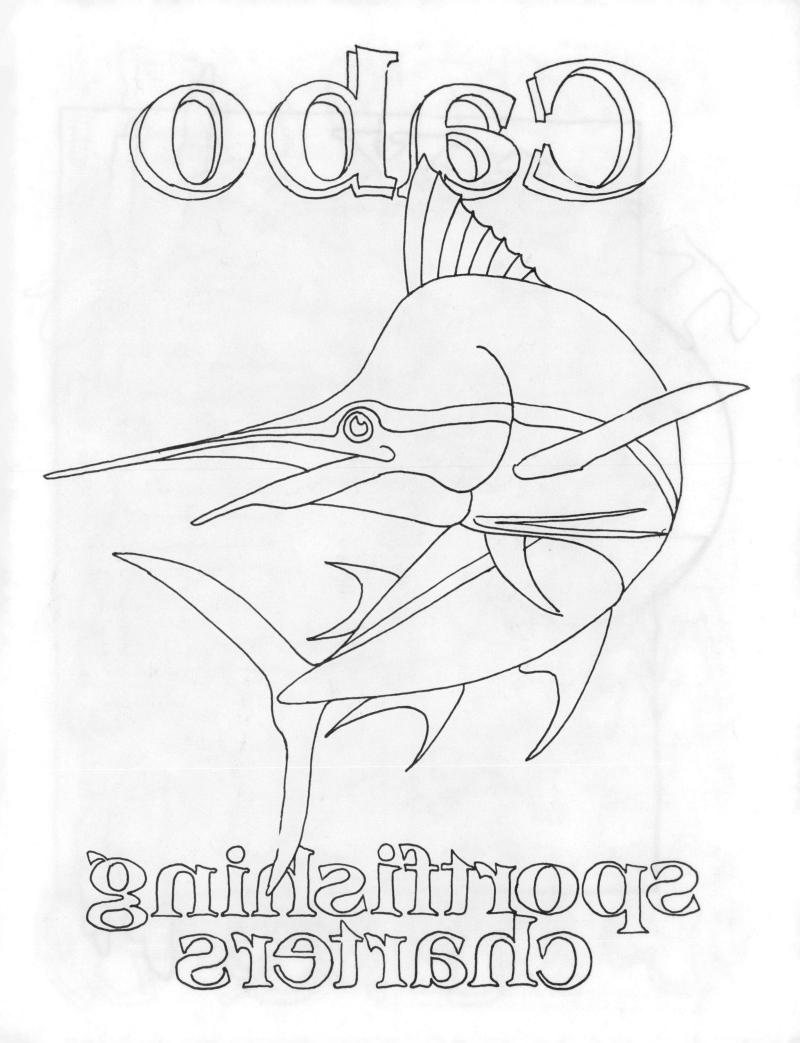

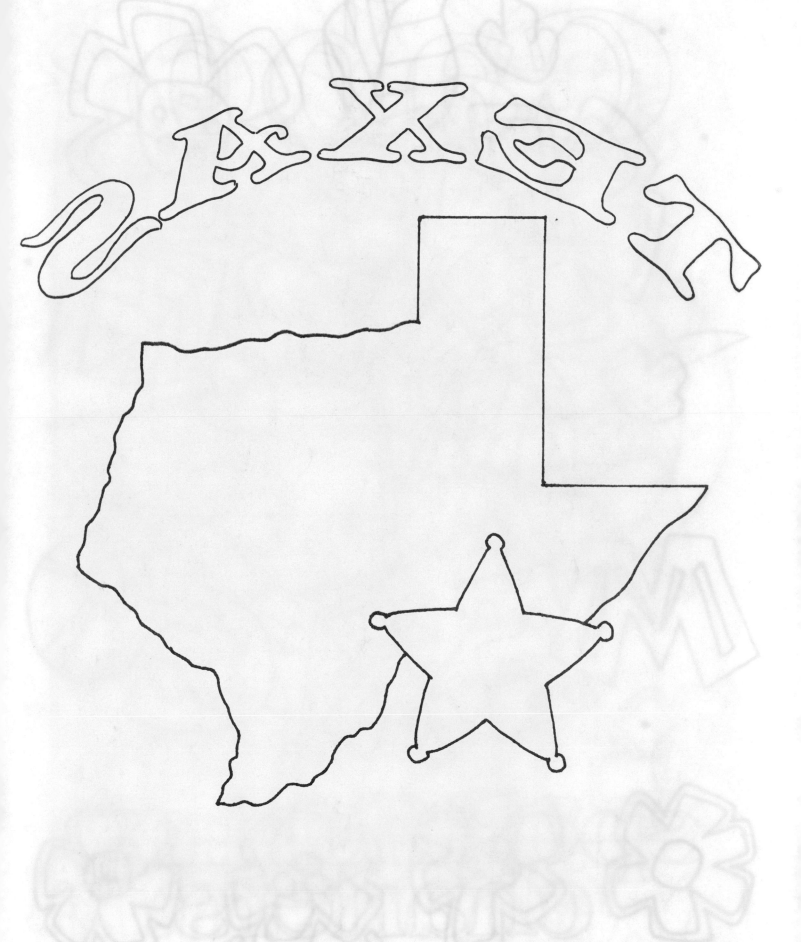

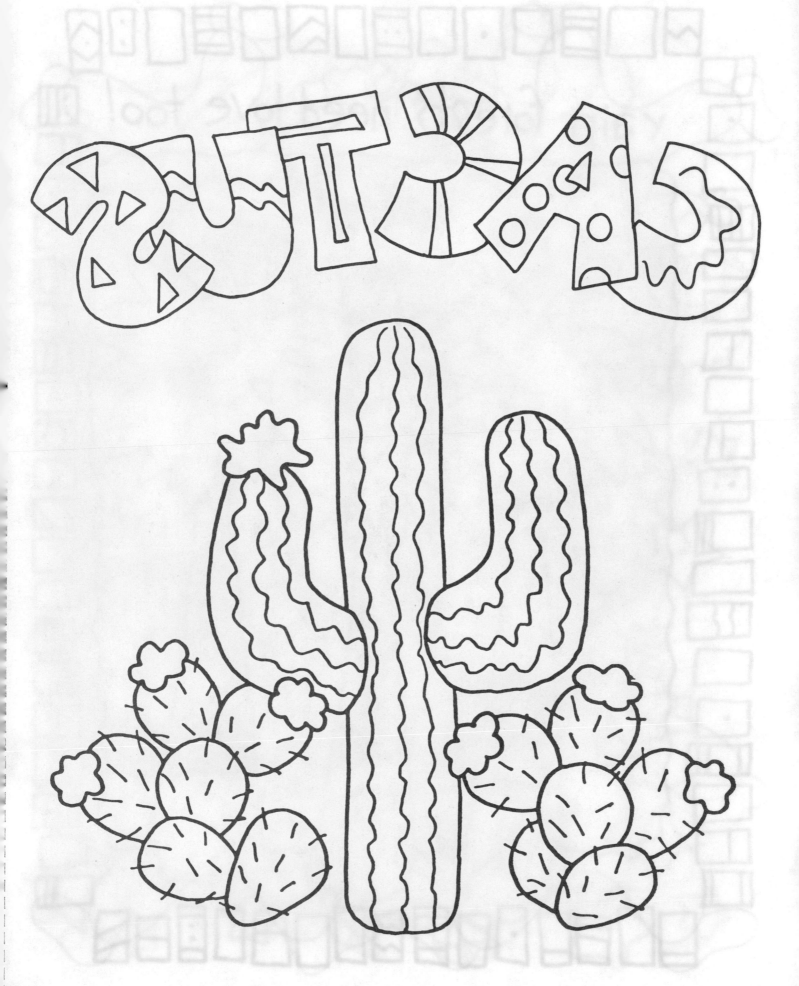

rain forest need love too!

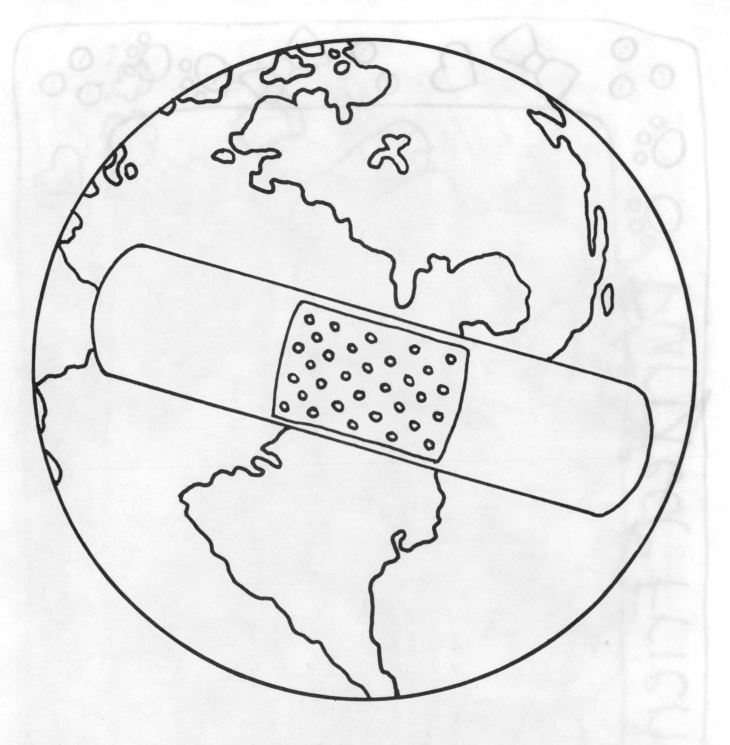

IT'S UP TO YOU..

ARE YOU READY ARCHIE

DON'T DROP THE BALL

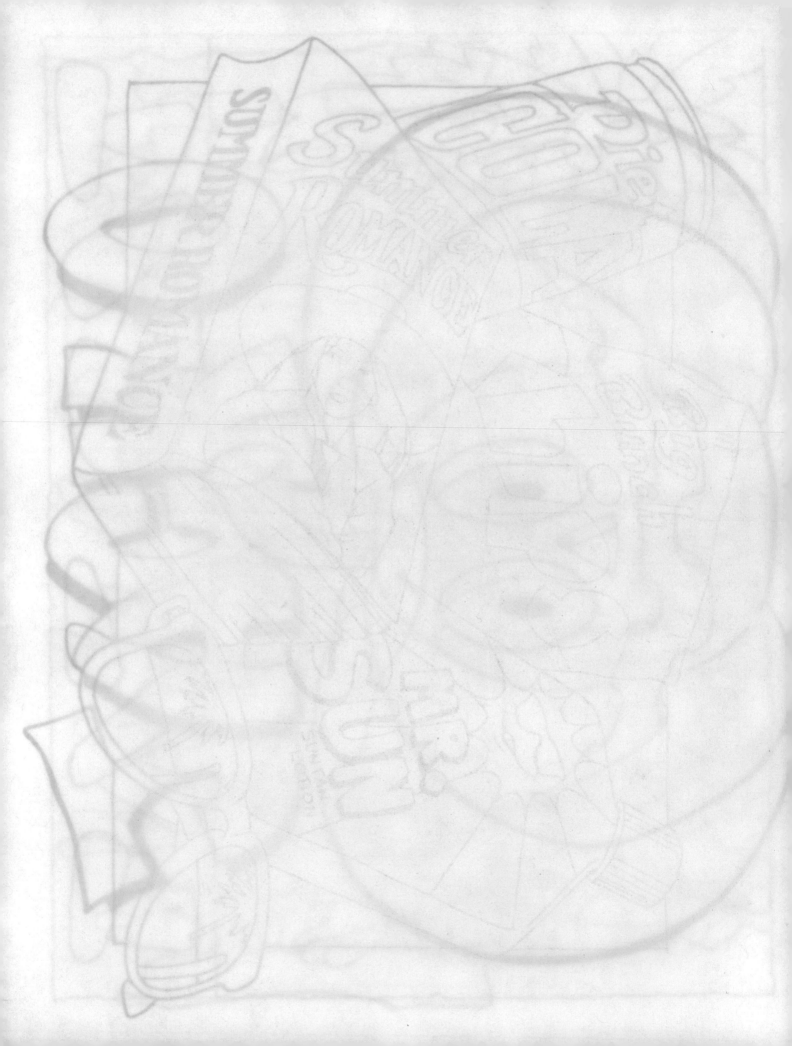

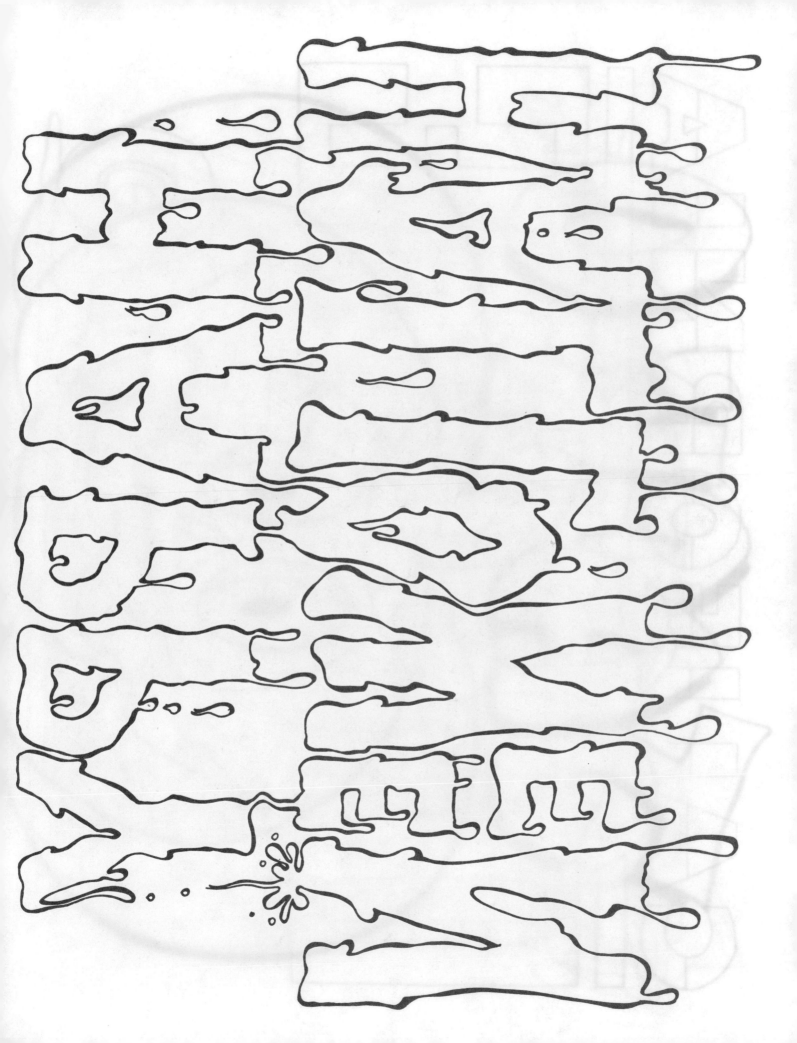

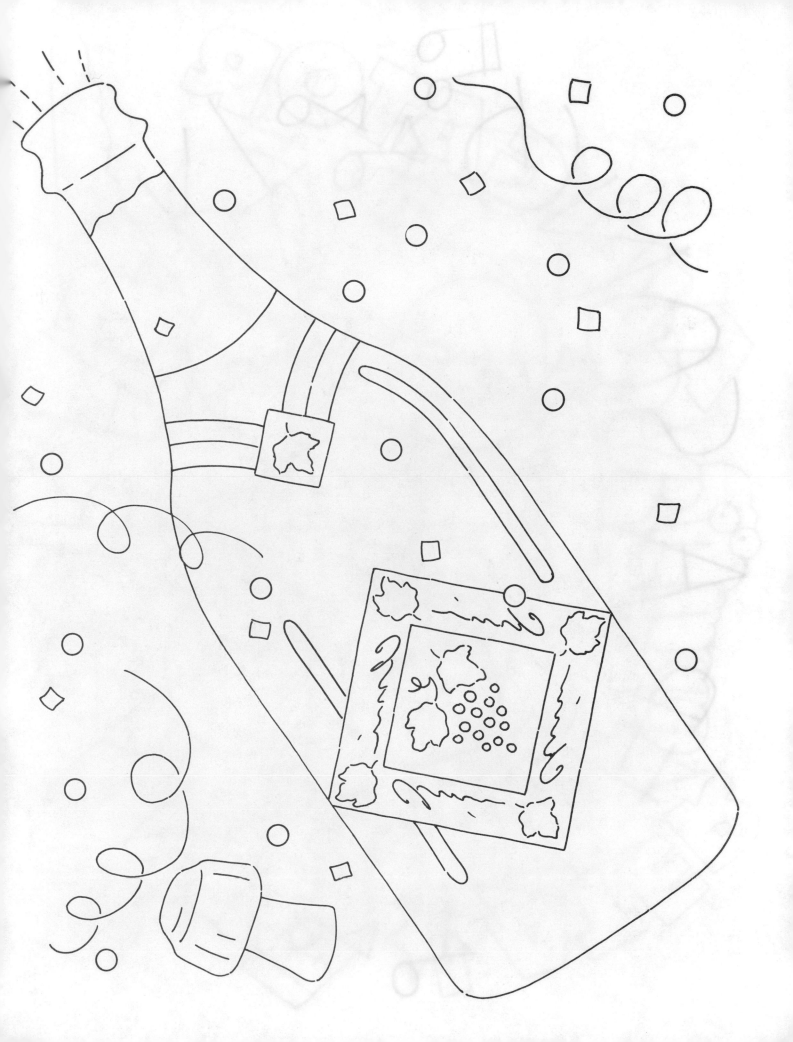

Life's a Beach

Life's a beach...

Behind every great kid is a great Mom ♡

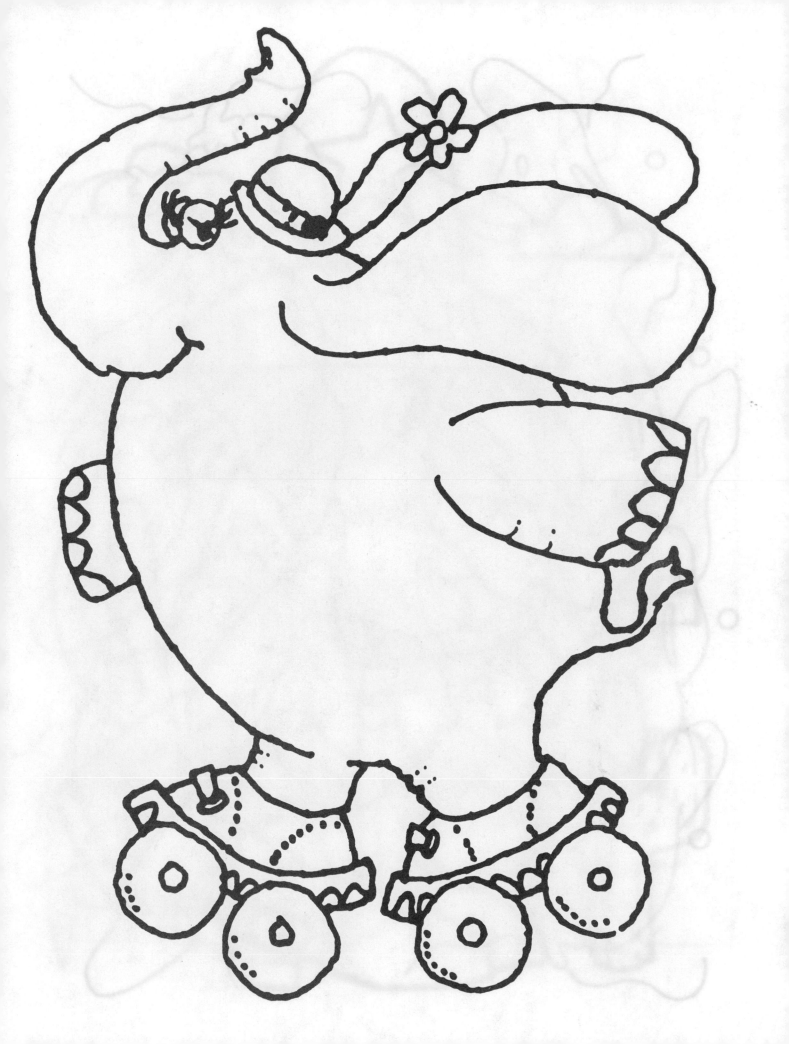

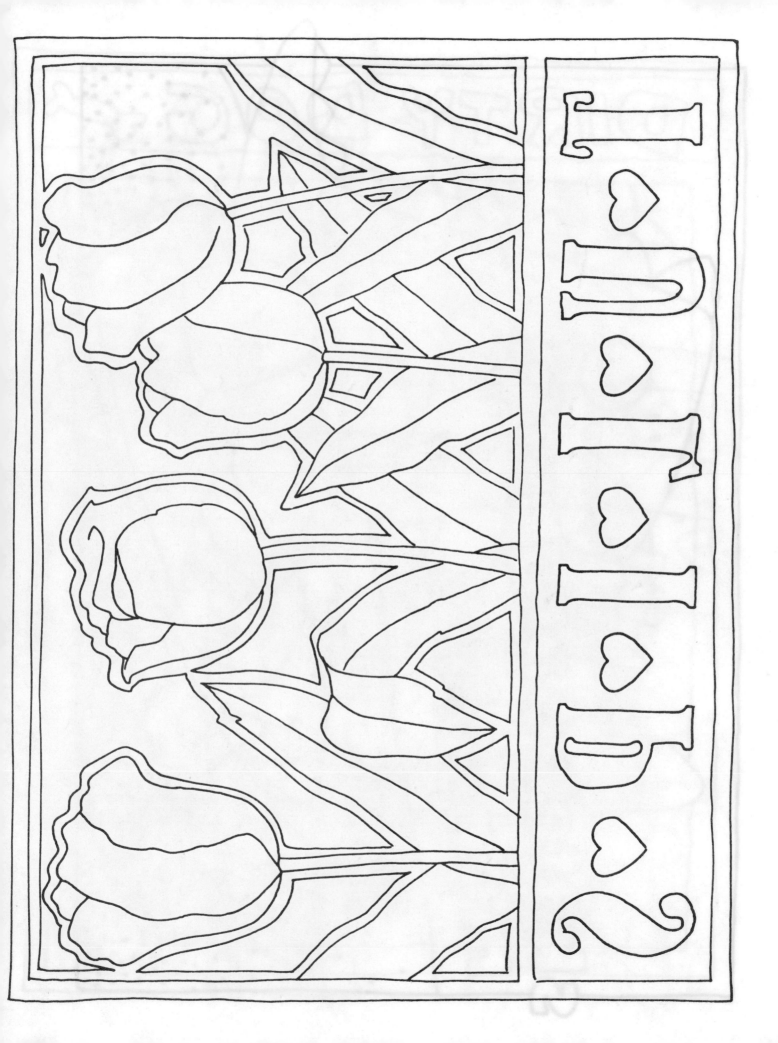

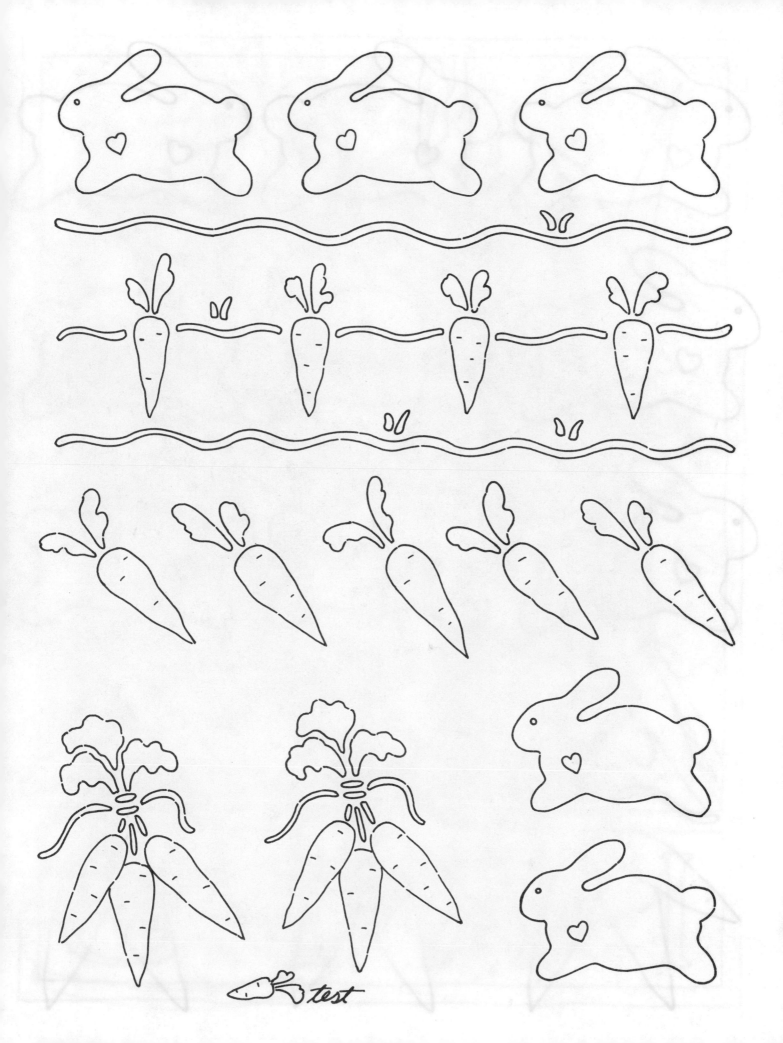

test

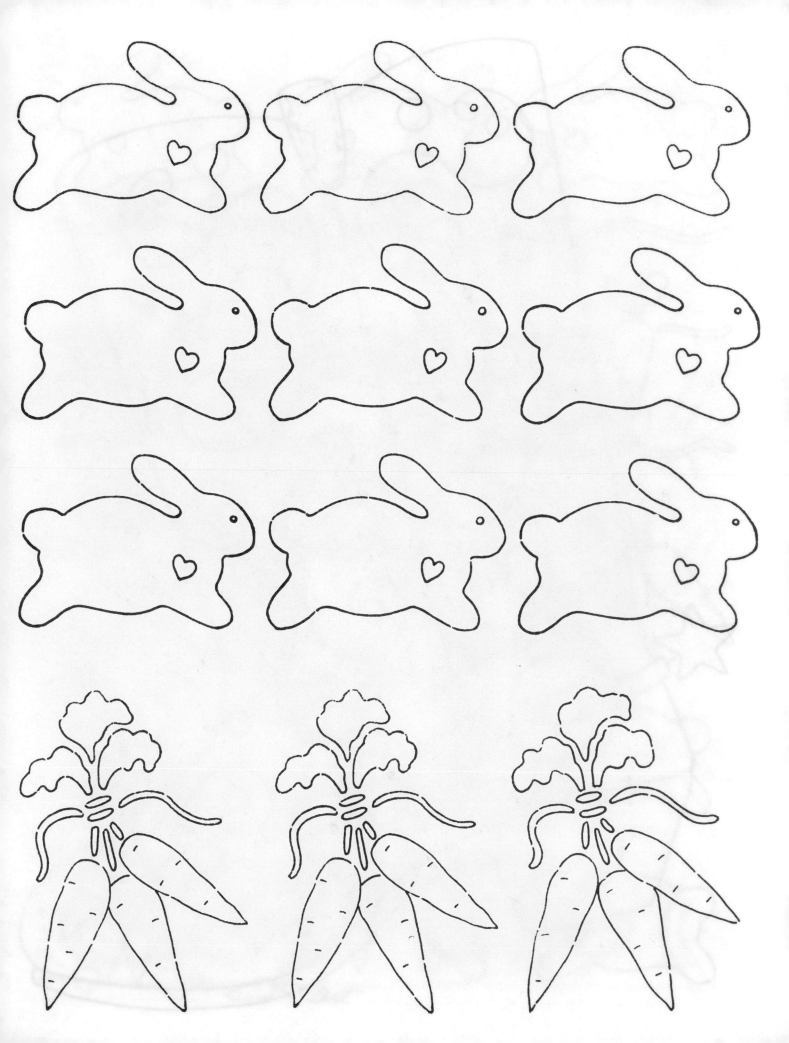

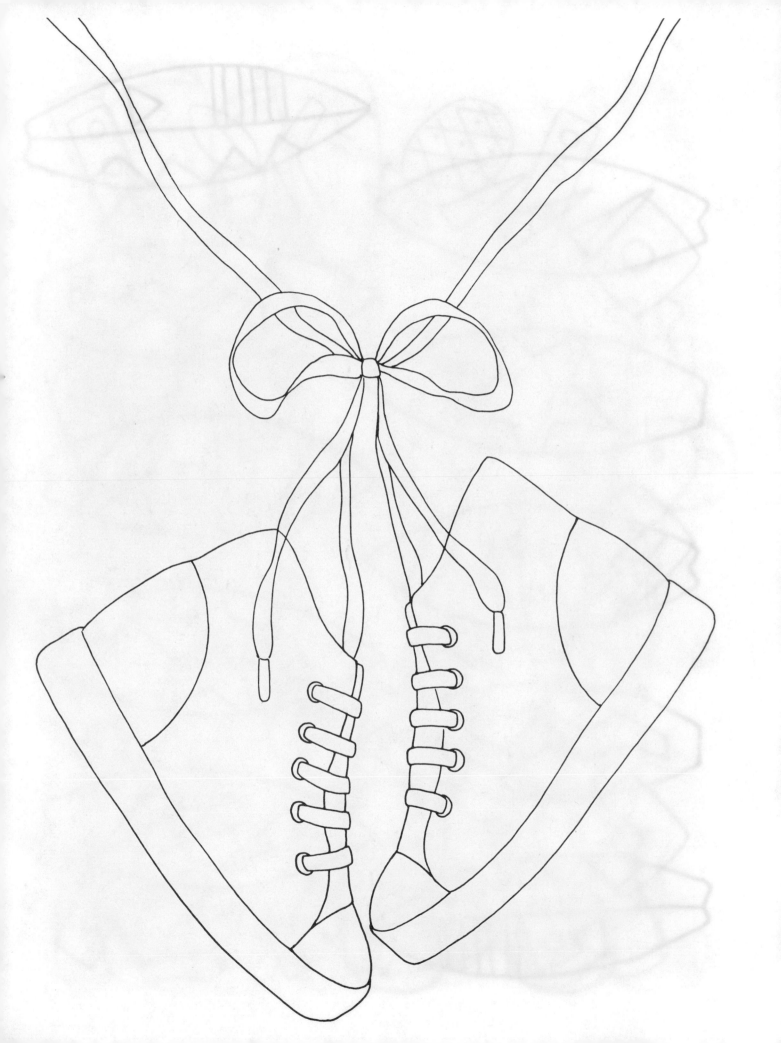

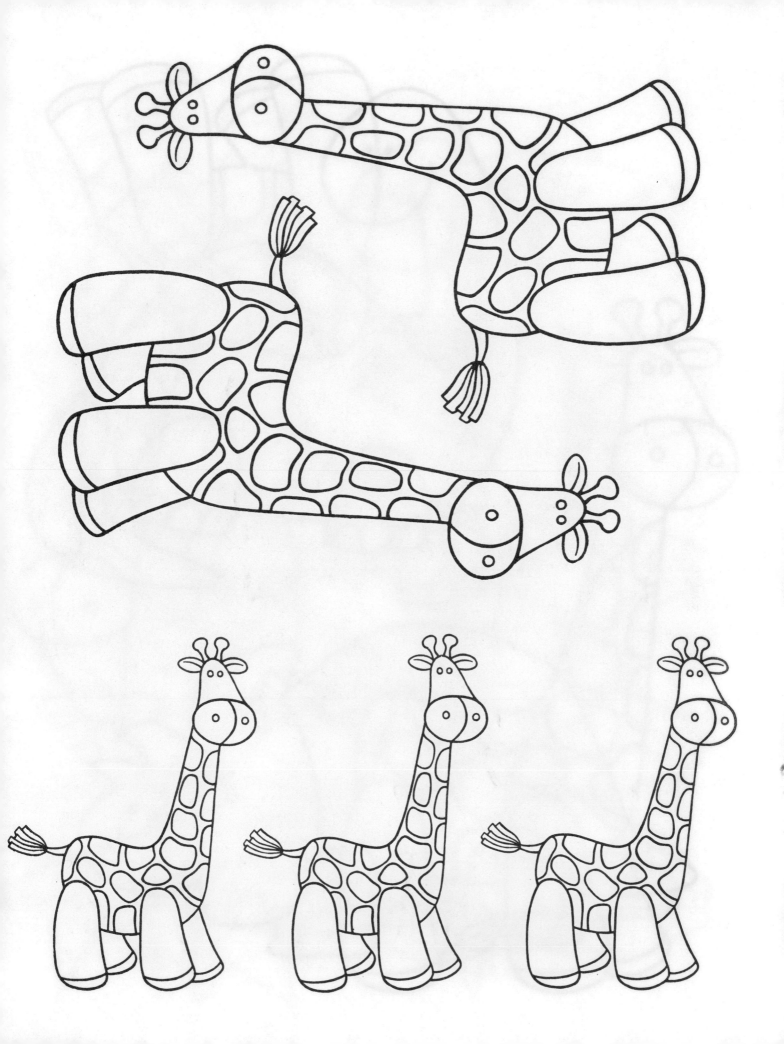

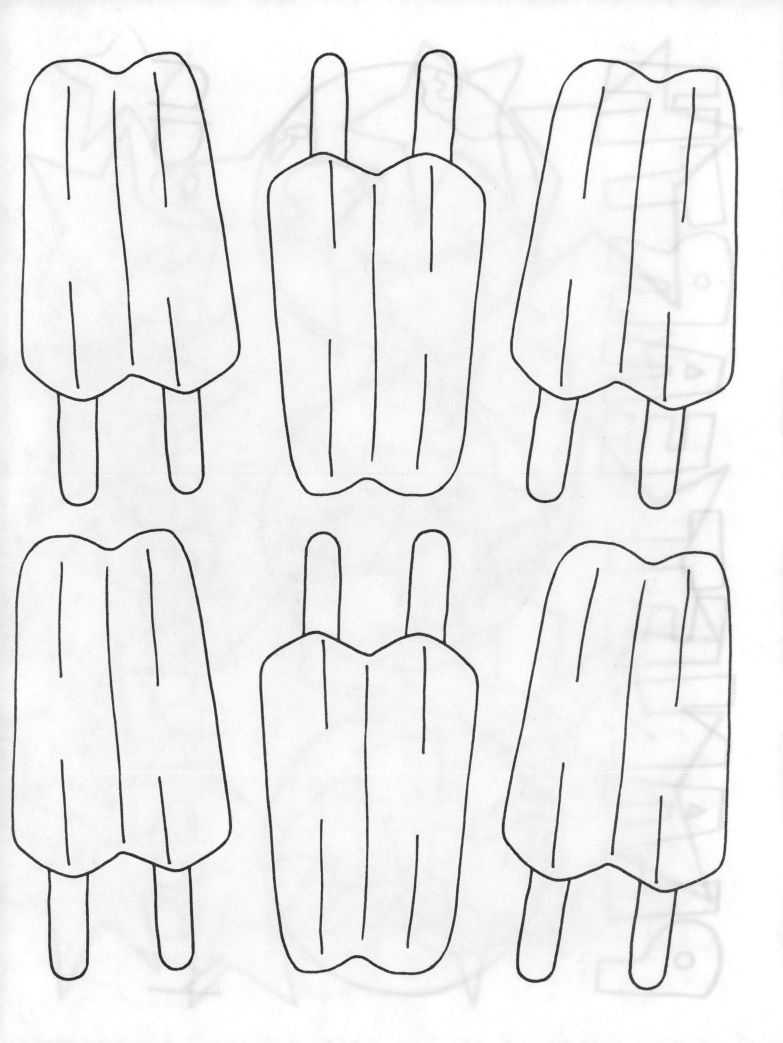

PLANET EARTH

keep it clean and green

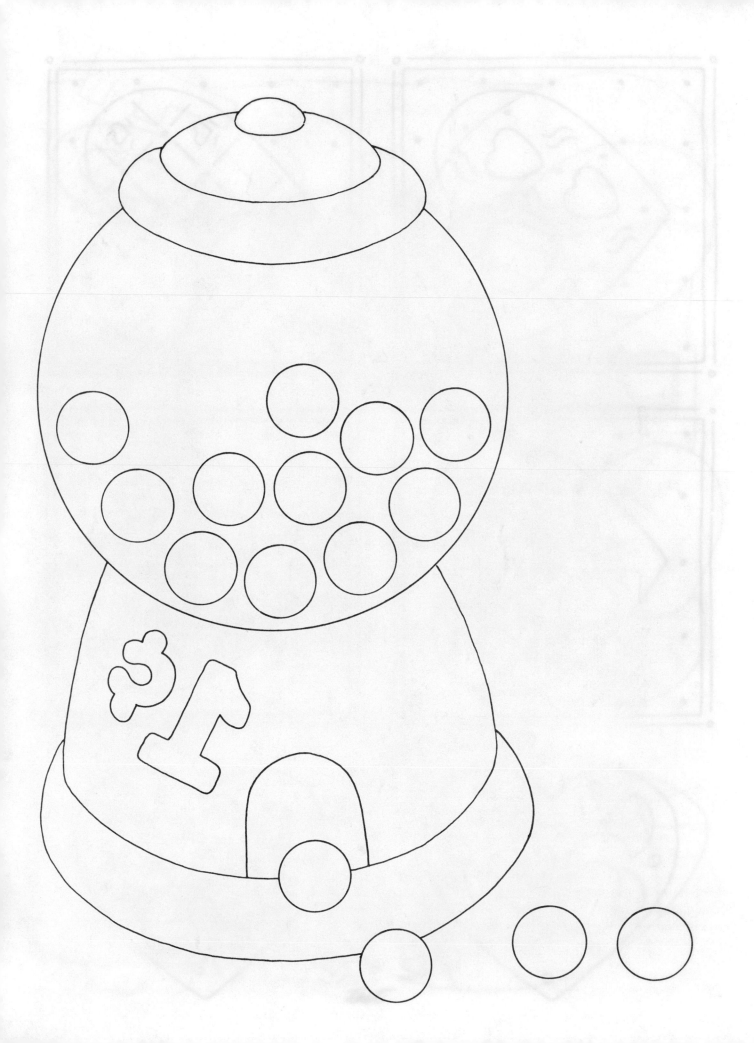

test

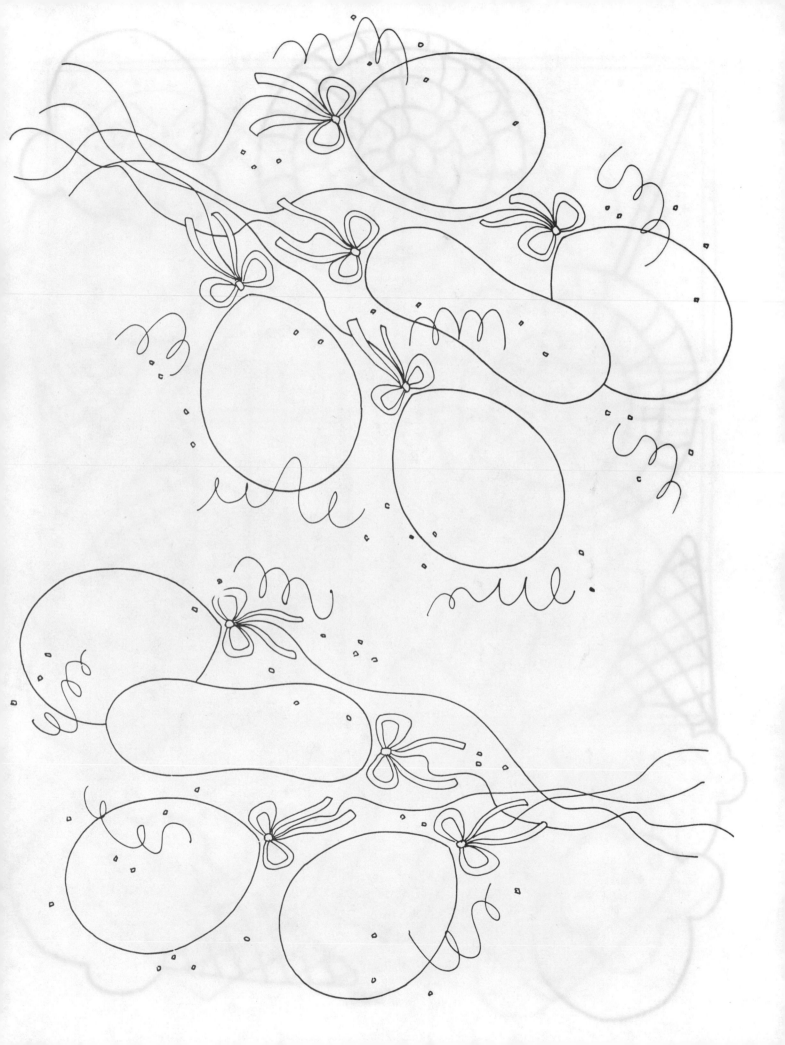

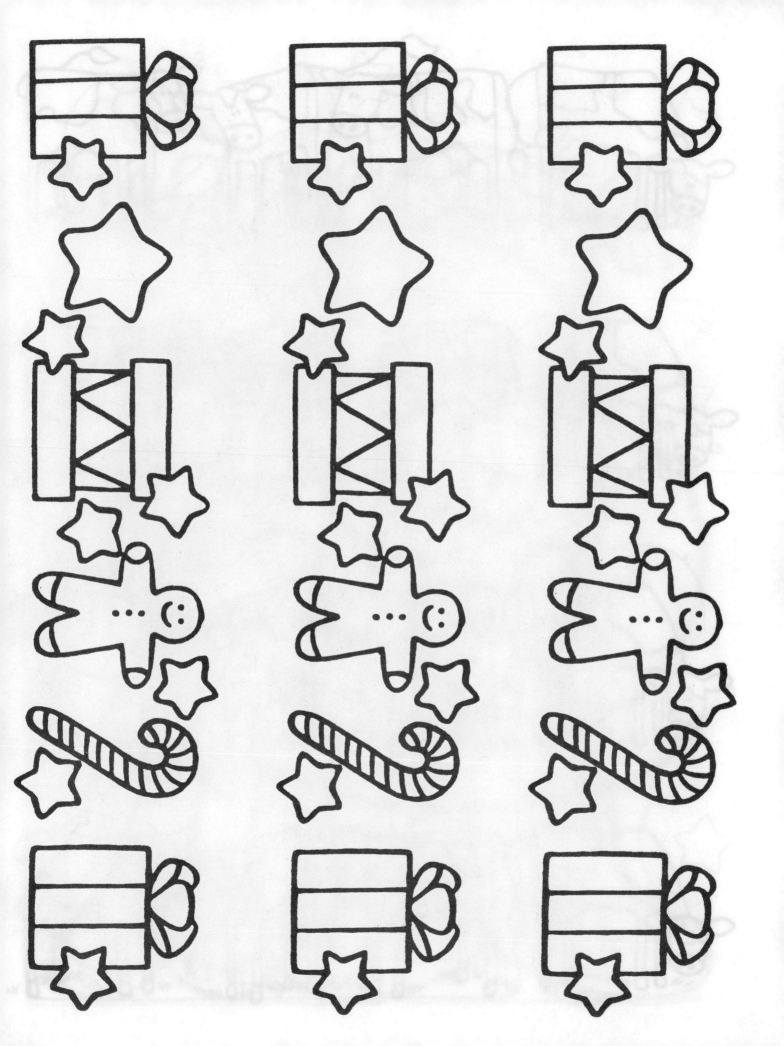

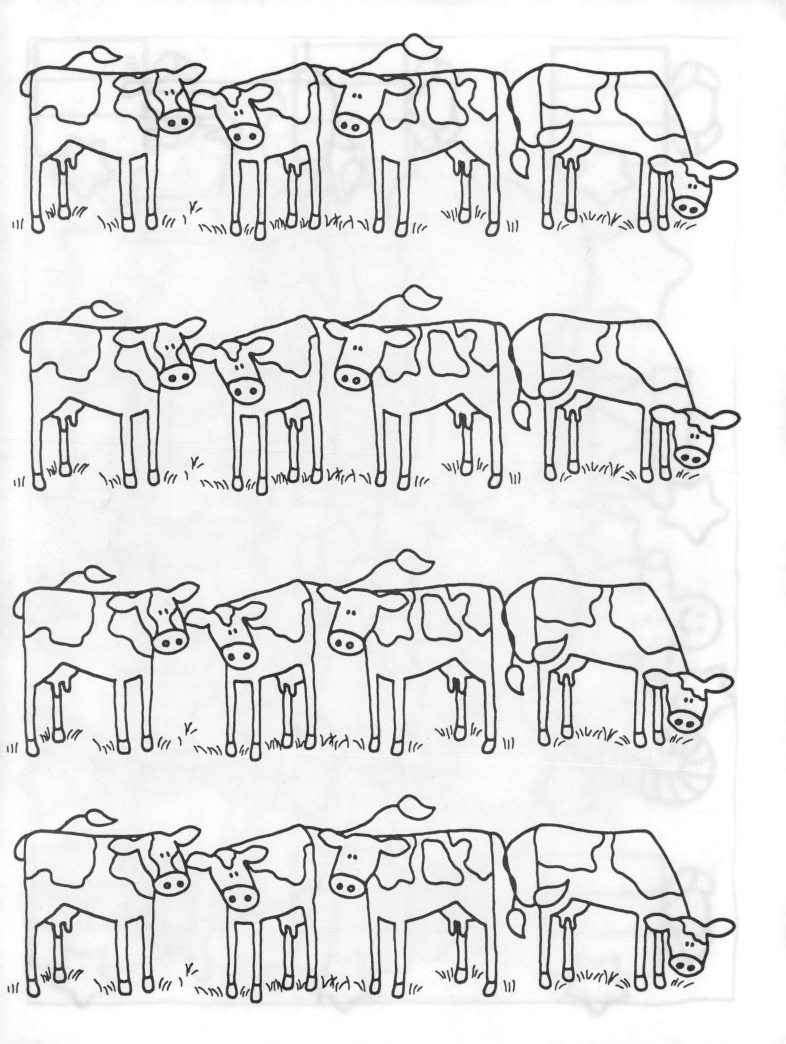

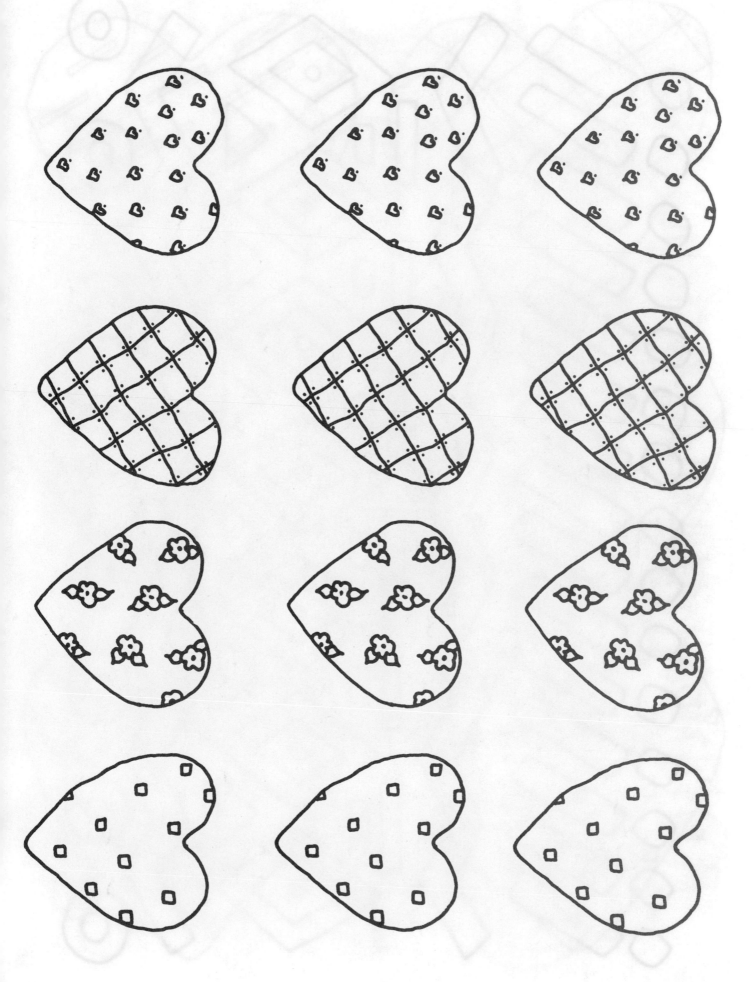

All things Bright and Beautiful

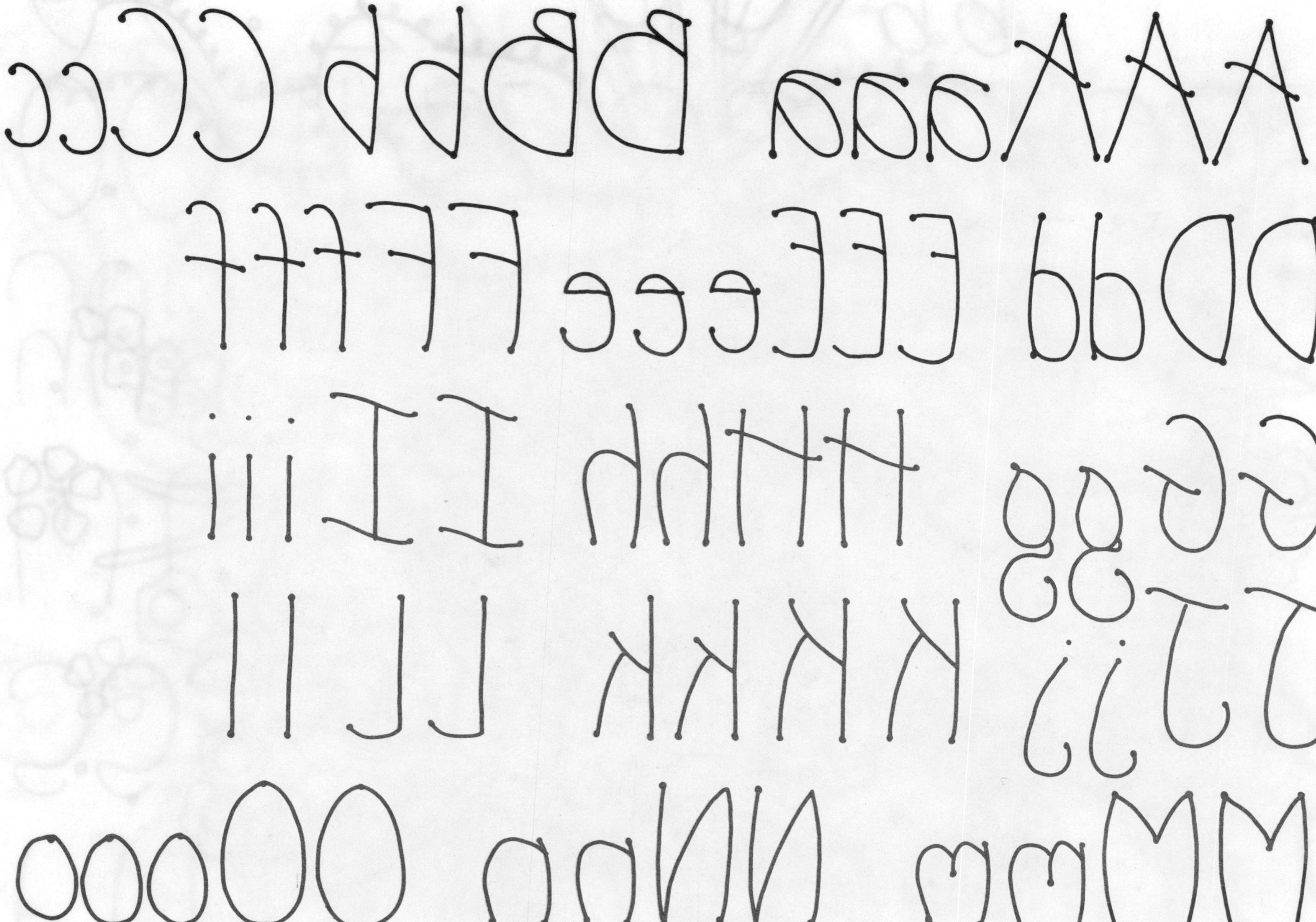

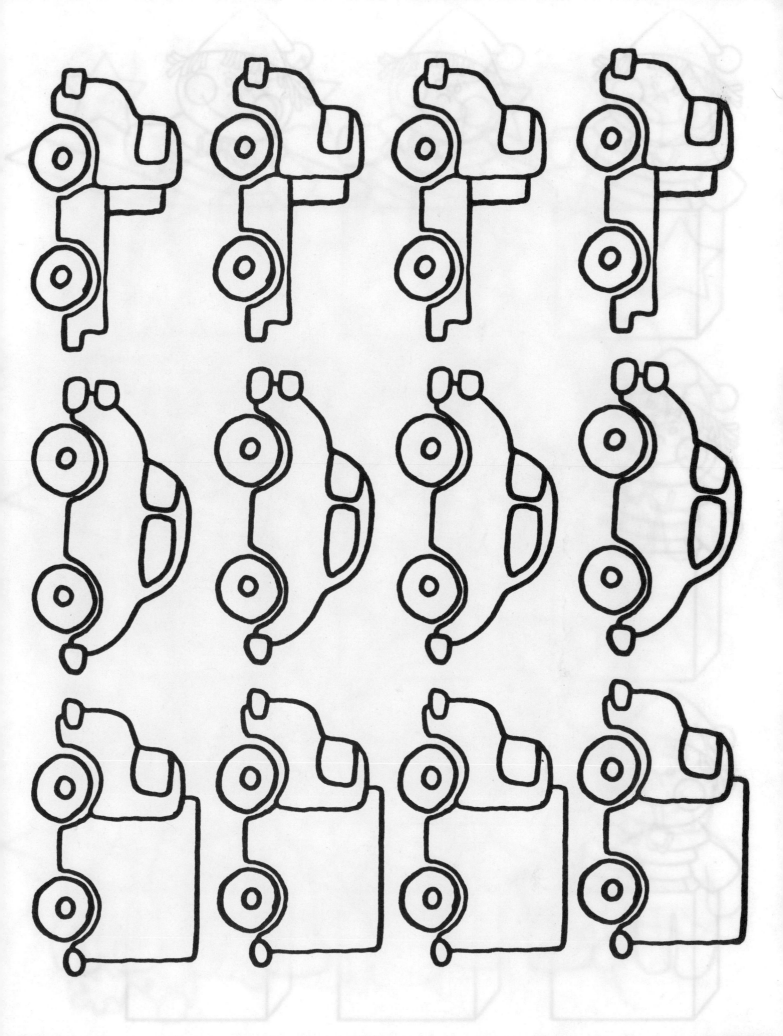

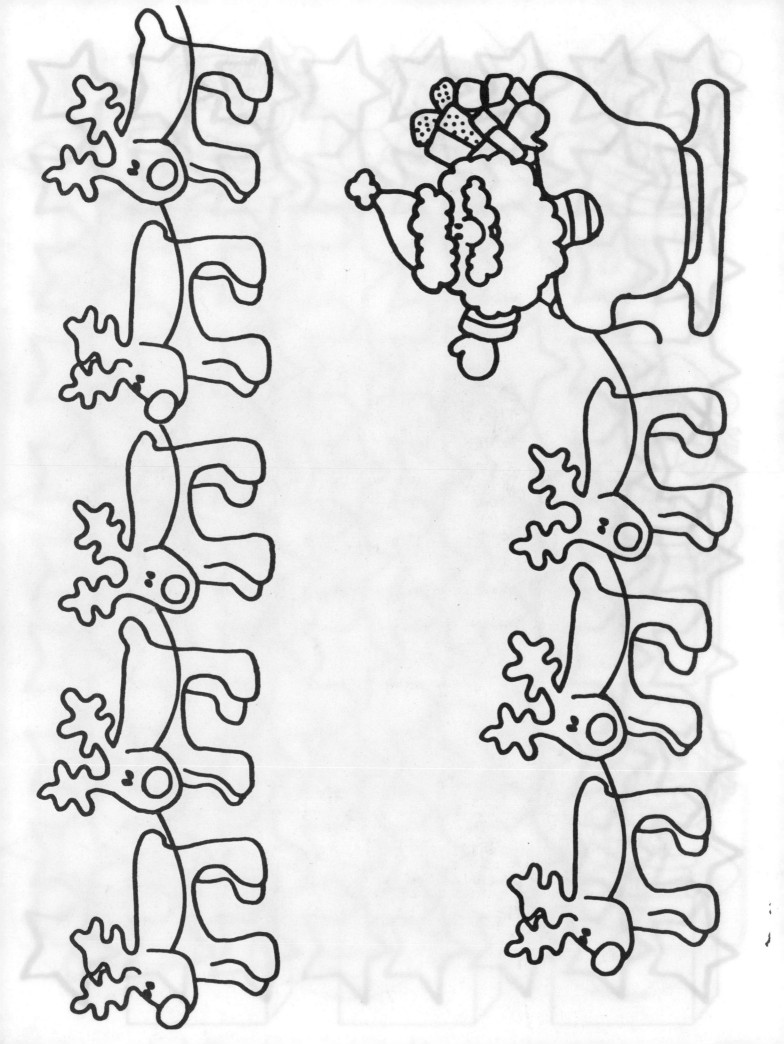

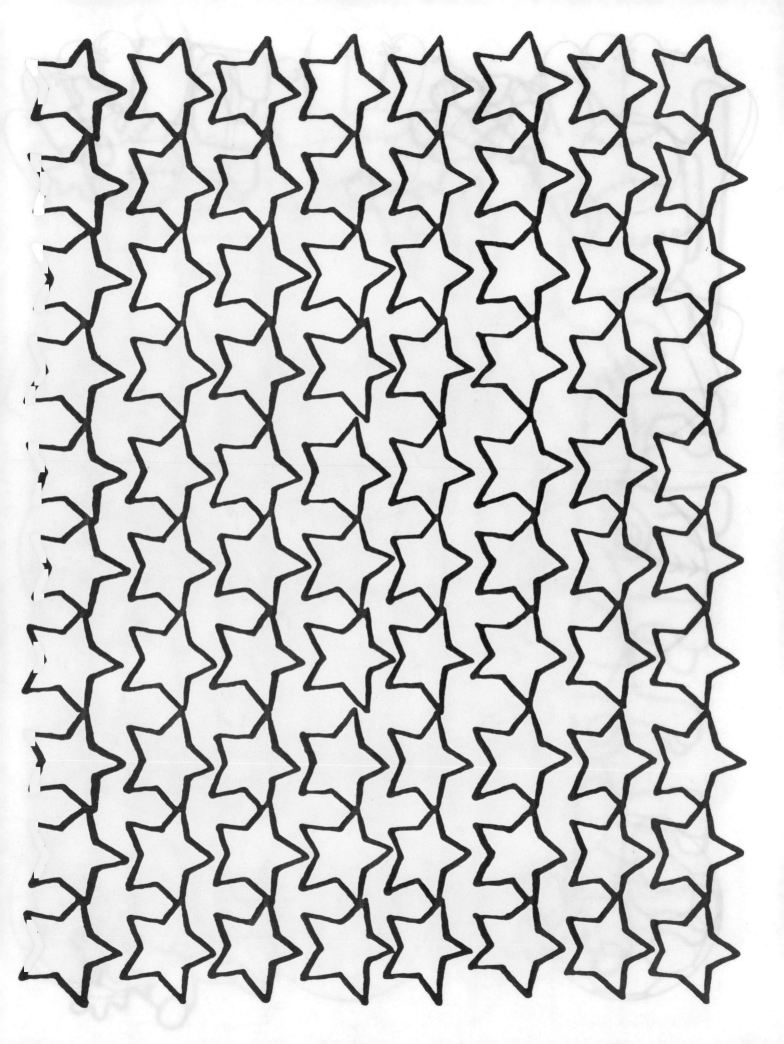

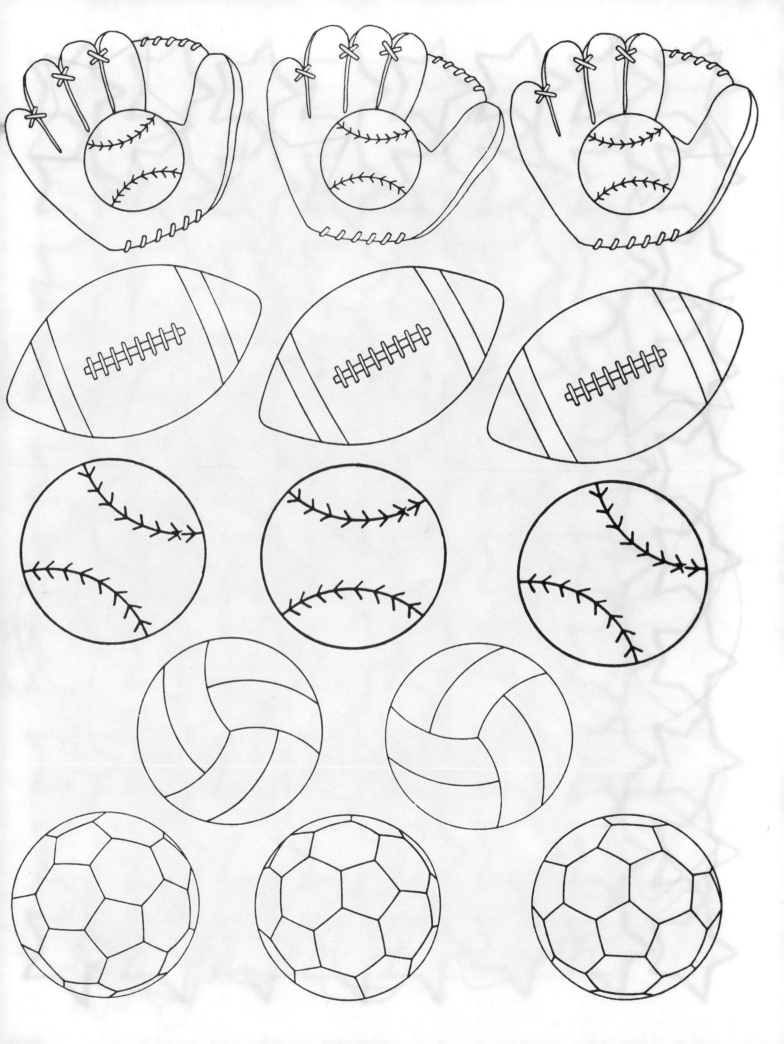

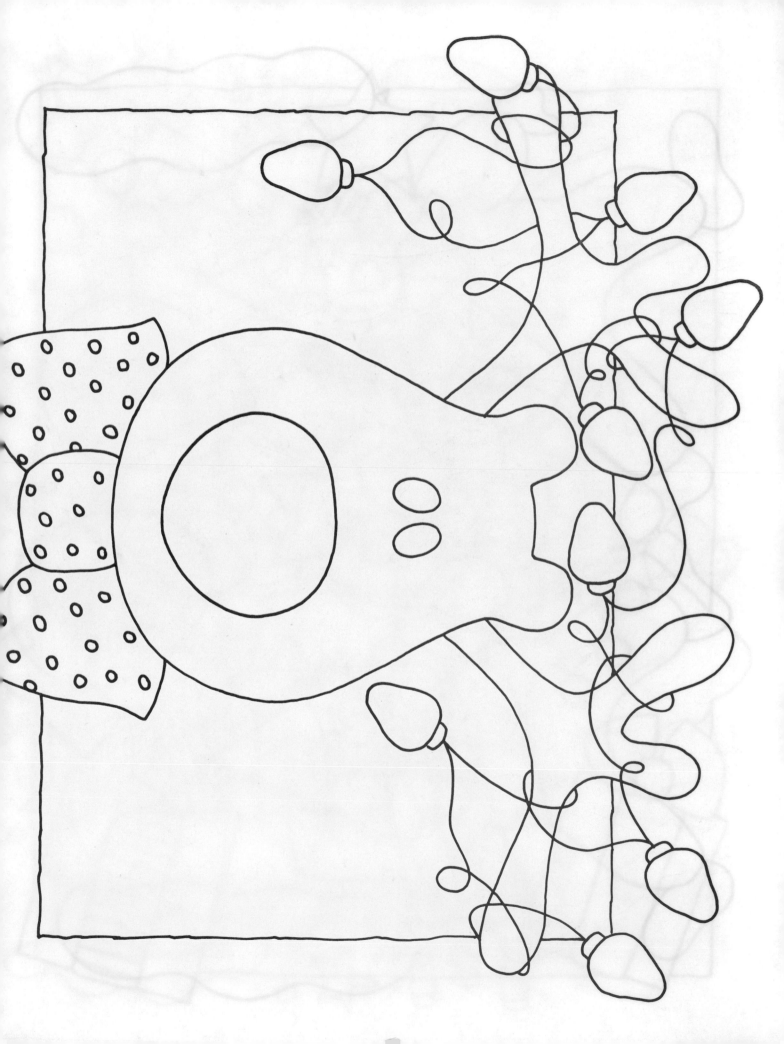

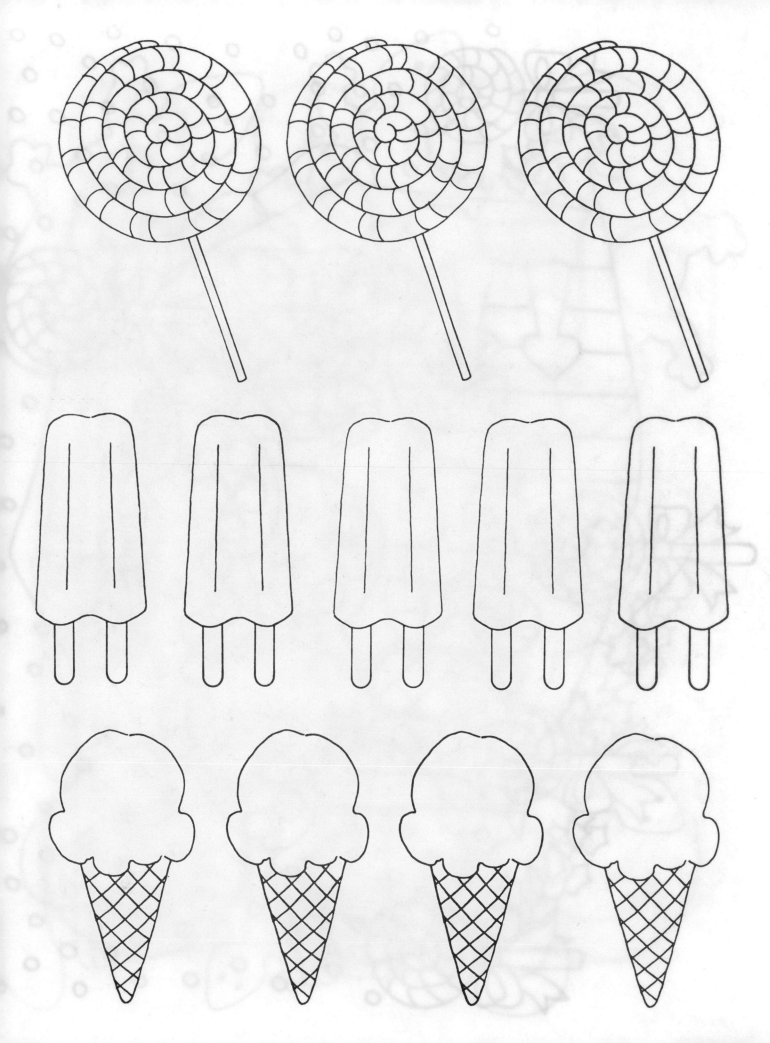

O N N N N N N

P P O O O O

R R R Q Q Q

S S S S S S S S S

W T T T T T T T

X V V U U U U

Z Y Y Y Y Y W

NNNNNO

OOOOOPP

PQQRRR

RSSSSSS

TTTTTW

UUUVVX

WWYYYZZ

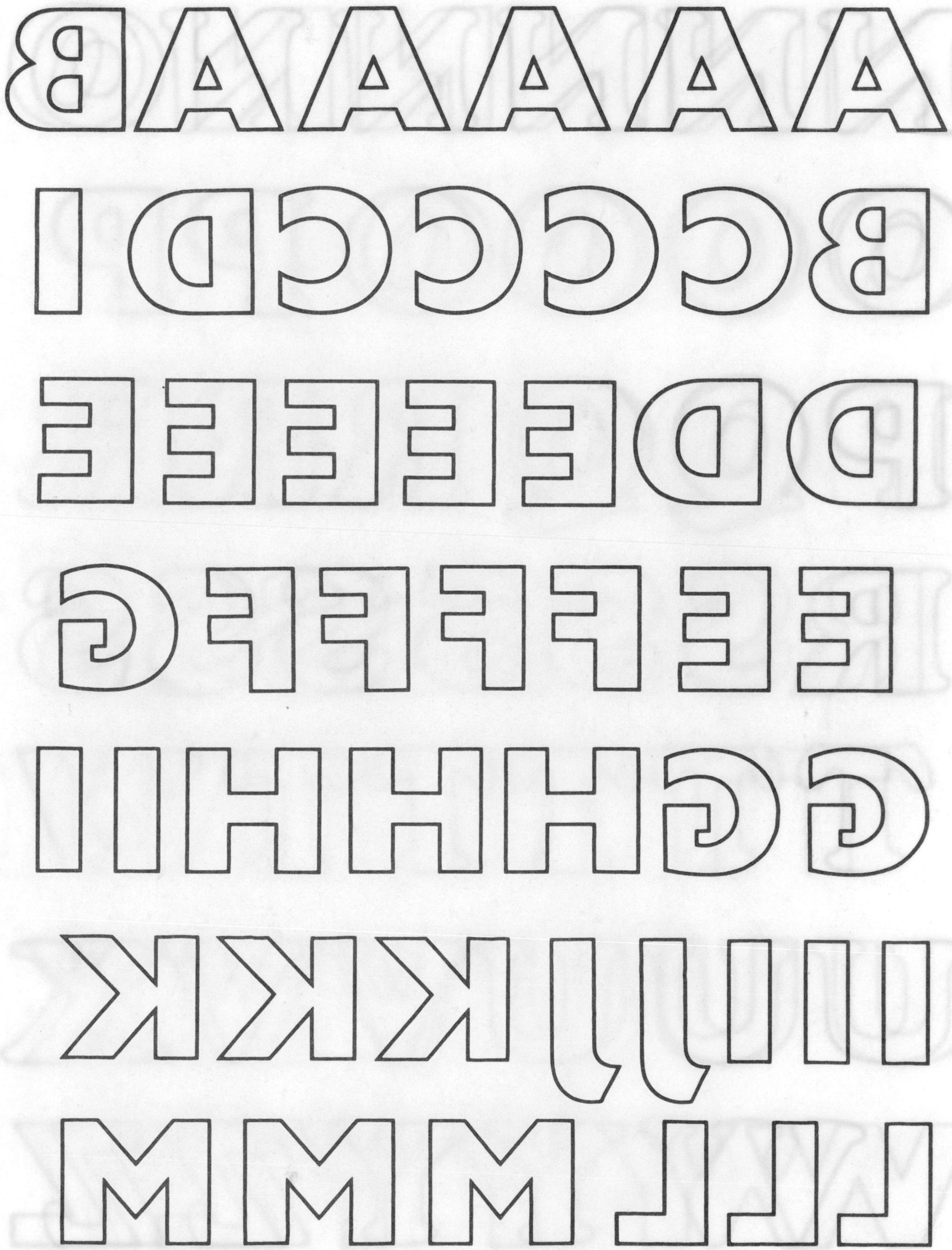

AAAAAAB

BCCCD I

DEEEEE

EFFFFG

GHHHII

IJKKK L

LMMMM L

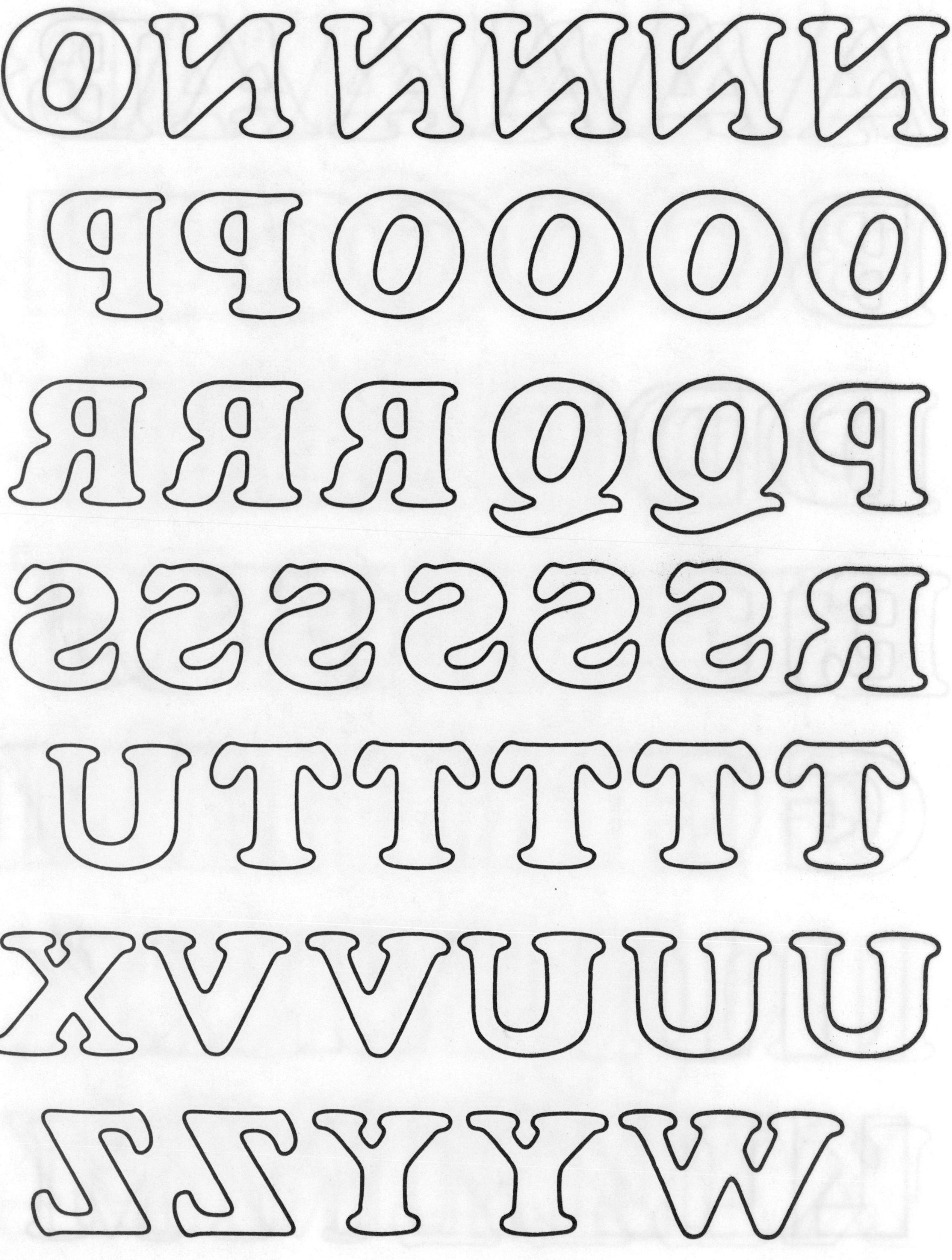

NNNNO
OOOOO
PPQRRR
SSSSSR
TTTTTU
UUUVVX
WYYYZZ

N N N N N N O

O O O O O P P

P Q Q Q R R R

R S S S S S S

T T T T T U

U U U U V V X

K W Y Y Y Z Z

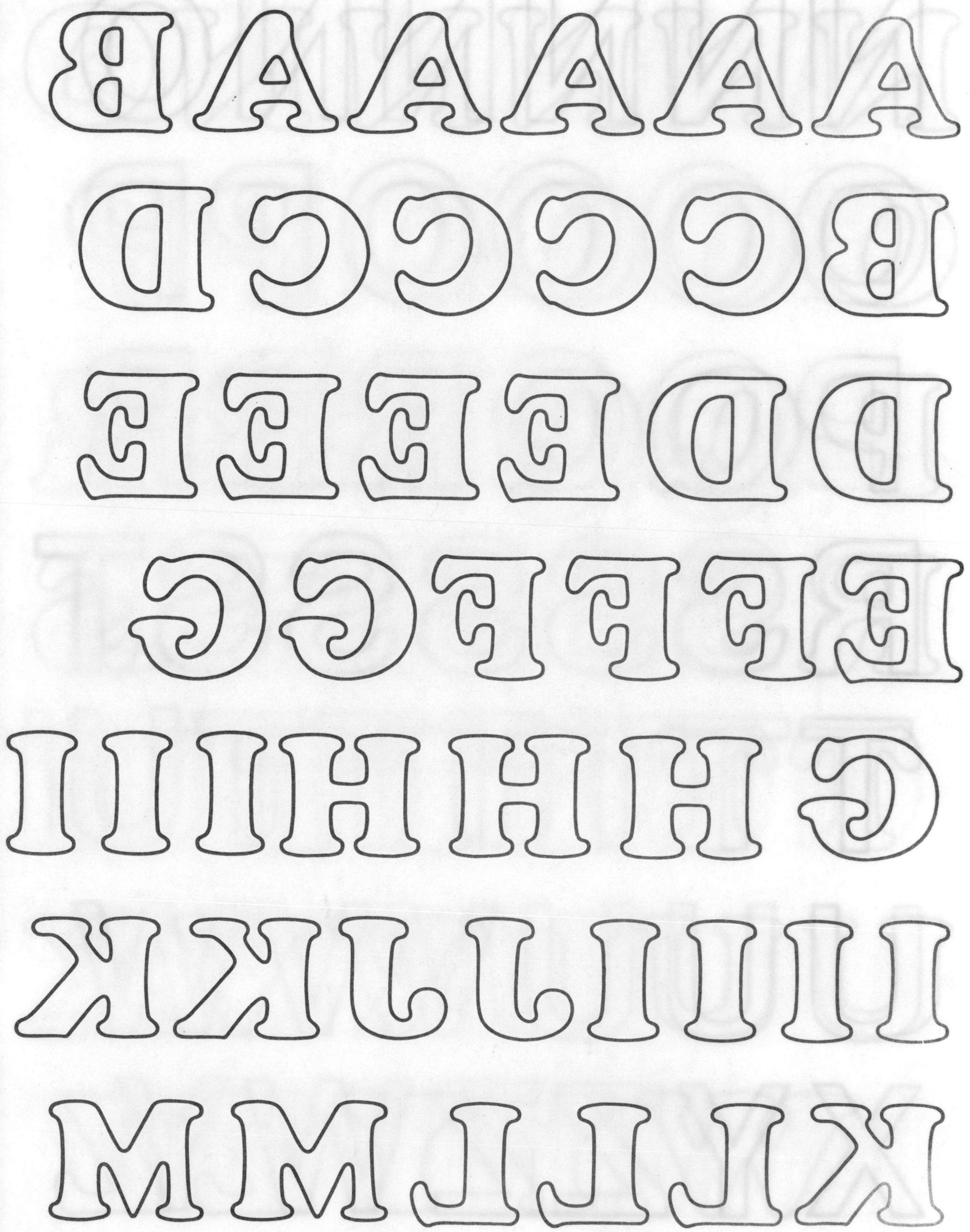

A A A A A B
B C C C D
D D E E E
E F F G G
H H H H I
I I J K K
K L L M M

N N N N O
O O O O P
P Q Q R R
R S S S S T
T T T T T U
U U U V V W
X Y Z Z Y X

NNNNNNO

OOOOPP

PQQRRR

RSSSSST

TTTTTTUI

UUUVVW

XYZZWY

AAAAAB

BCCCDD

DDEEEE

EEFFFFG

GGHHHIII

IIJKKLL

MMMMNN

AAAAAAB
BCCCCDD
DDEEEE
EEFFFFG
GGHHHHIIII
IIJJKKLLL
MMMMNN